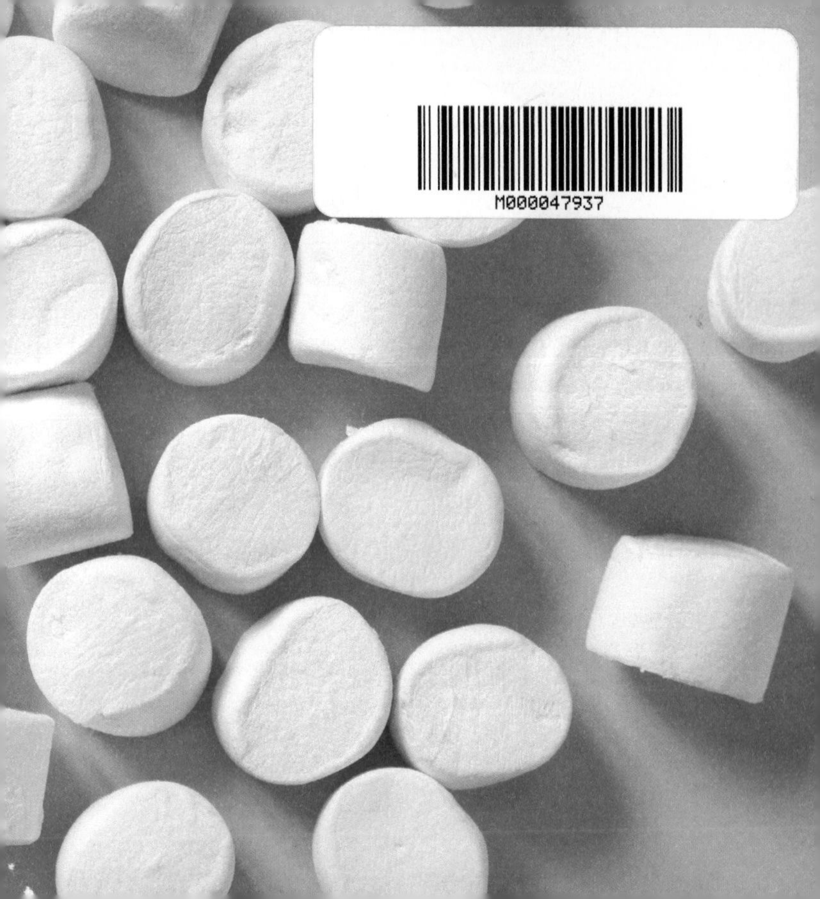
M000047937

HARIBO

Chamallows

HARIBO, C'EST BEAU LA VIE,

COLORANTS D'ORIGINE NATURELLE
WITH NATURAL COLOURS

POUR LES GRANDS ET LES PETITS !

Le petit livre

Chamallows®

LENE KNUDSEN
Photographies de Valery Guedes

MARABOUT

SOMMAIRE

KITS

DESSERTS GLACÉS

GÂTEAUX & CIE

GOURMANDISES

BOISSONS

10
20
22
24
16
32
60
46
26

KIT MINI DOUGHNUTS

DOUGHNUTS

3 CHAMALLOWS®, 5 g de beurre, 5 cl de lait, 1 œuf battu, 1 c. à s. d'huile de tournesol, 1 c. à s. de lait, ½ c. à c. d'extrait de vanille, 1. c. à s. de compote de poire, 75 g de farine, 40 g de sucre en poudre, ½ c. à c. de levure chimique, une pincée de sel

Couper les CHAMALLOWS® en petits morceaux et les faire fondre avec le lait dans une casserole à feu doux. Battre l'œuf avec l'huile, le lait, l'extrait de vanille et la compote de poire et les CHAMALLOWS® fondus. Ajouter le reste des ingrédients et mélanger. Verser dans les moules beurrés et faire cuire au four à 175 °C (th. 5) 13 à 17 minutes. Les tremper dans les glaçages et laisser sécher. Saupoudrer de vermicelles.

GLAÇAGE AU CAFÉ

2 c. à c. de lait, 2 c. à c. de café soluble, 20 g de beurre, 140 g de sucre glace, ½ c. à c. d'extrait de vanille

Chauffez le lait avec le café. Ajouter le reste des ingrédients et bien mélanger.

GLAÇAGE AU CHOCOLAT

100 g de chocolat noir, 20 g de beurre, 100 g de sucre glace, ½ c. à c. d'extrait de vanille

Faire fondre le chocolat et le beurre au bain-marie. Mélanger et laisser refroidir. Ajouter le sucre et l'extrait vanille et mélanger.

GLAÇAGE À LA FRAMBOISE

140 g de sucre glace, 2 c. à c. de jus de citron, 8 framboises écrasées

Mélanger tous les ingrédients à la fourchette.

GLAÇAGE AU SUCRE GLACE COLORÉ

140 g de sucre glace, 4 c. à c. de jus de citron, coloration alimentaire

Mélanger tous les ingrédients à la fourchette.

KIT GLACES

GLACE À LA RHUBARBE

8 CHAMALLOWS®, 200 g de rhubarbe coupée en petits morceaux, 90 g de sucre en poudre, ¼ des zestes de 1 orange, 2 yaourts nature, 15 cl de crème liquide

Dans une casserole, faire cuire la rhubarbe avec 12 cl d'eau, le sucre, les zestes d'orange et les CHAMALLOWS® à feu doux 20 à 30 minutes. Filtrer le jus et le mélanger avec les yaourts et la crème liquide puis verser dans 4 petits pots. Réserver au congélateur.

GLACE AU TIRAMISU

9 CHAMALLOWS®, 3 cuillerées à café soluble, 6 boudoirs, 250 g de mascarpone, 100 g de MARSALA®, 2 yaourts nature, 15 cl crème liquide, 1 cuillerée à café d'extrait de vanille, 20 g de chocolat noir râpé

Dans une casserole, faire fondre à feu doux les CHAMALLOWS® avec le café et 12 cl d'eau. Y tremper les boudoirs et tapisser le fond de 4 pots. Mélanger le mascarpone avec le marsala dans un bol et dans un autre les yaourts, la crème liquide et l'extrait de vanille. Verser en alternant ces 2 crèmes dans les pots. Ajouter 1 cuillerée à café de crème au café et décorer de chocolat. Réserver au congélateur.

GLACE PAMPLEMOUSSE-NOUGAT

6 CHAMALLOWS®, 250 g de chair de pamplemousse, 50 g de sucre en poudre, 40 g de nougat blanc mou, 2 yaourts à la grecque, 10 cl de crème liquide

Dans une casserole, faire fondre à feu doux les CHAMALLOWS® avec le pamplemousse, 10 cl d'eau et le sucre. Récupérer les morceaux de pamplemousse ainsi que quelques cuillerées à soupe de sirop. Couper la barre de nougat en petits morceaux et les mélanger avec les yaourts et la crème liquide. Verser dans 4 petits pots. Réserver au congélateur.

GLACE À LA CERISE

10 CHAMALLOWS®, 10 cl de crème liquide, 24 cerises à l'amarena en pot, 2 yaourts à la grecque, ½ cuillerée à café d'extrait de vanille

Dans une casserole, faire fondre à feu doux les CHAMALLOWS® avec la crème liquide. Couper les cerises en deux. Les mélanger avec les yaourts, l'extrait de vanille et 1 à 2 cuillerées à soupe du jus des cerises. Verser dans 4 petits pots. Réserver au congélateur.

KIT NAPPAGE

NAPPAGE AU CHOCOLAT BLANC
16 CHAMALLOWS®, 100 g de chocolat blanc, 1 sachet de noix de coco râpée, 1 sachet de noix de coco en copeaux, 1 flacon d'éclats de chocolat blanc, 1 flacon de vermicelles de chocolat blanc

Hacher le chocolat blanc en petits morceaux. Le faire fondre dans un bol au bain-marie à feu très doux. Bien mélanger avec une cuillère en bois. Laisser refroidir quelques instants. Recouvrir les CHAMALLOWS® de chocolat blanc fondu.

Rouler 4 CHAMALLOWS® dans chaque décoration. Laisser sécher. Conserver 1 semaine dans une boîte hermétique.

SOUPE GLACÉE FRAISES & RHUBARBE

10 MIN DE PREPARATION – 10 MIN DE CUISSON – 2 H DE REPOS

POUR 4 PERSONNES

6 CHAMALLOWS®
100 g de rhubarbe
80 g de fraises
100 g de framboises
50 g de mûres
100 g de sucre en poudre
½ citron

1- Couper la rhubarbe en petits morceaux. Équeuter les fraises.
2- Dans une casserole, verser 30 cl d'eau puis ajouter les fruits, le sucre et les CHAMALLOWS®. Faire bouillir 5 minutes puis retirer un tiers des morceaux de rhubarbe et les réserver dans une assiette.
3- Prolonger la cuisson de 5 minutes puis filtrer le jus et le réserver.
4- Verser le jus dans 4 petits bols. Ajouter les morceaux de rhubarbe réservés ainsi qu'une poignée de framboises, de mûres et de myrtilles. Zester le citron et en parsemer la soupe. Réserver au frais 2 heures minimum avant de servir.

MOUSSE CHOCOLAT BLANC

20 MIN DE PREPARATION – 10 MIN DE CUISSON – 1 H DE REPOS

POUR 4 PERSONNES

4 CHAMALLOWS®

15 cl crème liquide

100 g de chocolat blanc

2 blancs d'œufs

1 cuillerée à soupe de Marsala

quelques framboises

1- Dans une casserole, faire fondre à feu doux les CHAMALLOWS® avec de 2 cuillerées à soupe d'eau tout en mélangeant. Réserver.

2- Monter la crème liquide bien froide en chantilly.

3- Hacher en petits morceaux le chocolat blanc. Le faire fondre dans un bol au bain-marie à feu très doux. Mélanger avec une cuillère en bois. Réserver.

4- Battre les blancs d'œufs en neige ferme avec une pincée de sel.

5- Mélanger la crème chantilly avec le Marsala puis le chocolat blanc fondu. Incorporer délicatement les blancs en neige à l'aide d'une spatule en bois.

6- Verser 4 petits bols et réserver au réfrigérateur 1 heure minimum. Au moment de servir, décorer avec des framboises fraîches.

PANNA COTTA & JELLY À LA RHUBARBE

25 MIN DE PREPARATION – 30 MIN DE CUISSON – 4 H DE REPOS

POUR 4 PERSONNES

4 CHAMALLOWS®
250 g de rhubarbe
50 g de sucre en poudre
4 feuilles de gélatine
10 cl de crème liquide
1 yaourt nature

MATÉRIEL

4 moules individuels

1- Couper la rhubarbe en petits morceaux. Les mettre dans une casserole avec le sucre et 20 cl d'eau. Faire cuire à petits bouillons pendant 20 minutes. Filtrer et réserver.
2- Mettre 2 feuilles de gélatine et demi de gélatine dans un bol avec de l'eau froide pendant 5 à 10 minutes et essorer.
3- Dans une casserole, mettre le jus filtré et faire chauffer à feu doux quelques minutes. Ajouter la gélatine et bien mélanger. Verser dans des moules individuels jusqu'aux trois-quarts. Laisser prendre 4 heures au réfrigérateur.
4- Mettre le reste des feuilles de gélatine dans un bol d'eau froide pendant 5 à 10 minutes et essorer.
5- Dans une casserole, faire fondre les CHAMALLOWS® avec la crème liquide et bien mélanger. Retirer du feu, ajouter la gélatine et bien mélanger.
6- Dans un bol, verser le yaourt nature, la préparation au CHAMALLOWS® et bien mélanger.
7- Verser la préparation aux CHAMALLOWS® sur les jelly à la rhubarbe. Réserver au réfrigérateur 2 heures. Au moment de servir, les passer sous un filet d'eau très chaude pendant quelques secondes et les démouler dans 4 petites assiettes.

VACHERIN COCO, BANANES & FRUITS DE LA PASSION

20 MIN DE PREPARATION – 3 H DE CUISSON

POUR 4 PERSONNES

8 CHAMALLOWS®

3 blancs d'œufs

150 g de sucre cristal

80 g de sucre glace

40 cl de crème liquide

1 c. à c. d'extrait de vanille

3 bananes très mûres

le jus de 1 citron

4 boules de glace à la noix de coco

4 fruits de la passion

1- Préchauffer le four à 90 °C (th. 3). Mettre les blancs d'œufs dans un grand bol et les monter en neige. Quand ils commencent à bien prendre, ajouter le sucre cristal et continuer de battre. Verser la moitié du sucre glace tamisé.
2- Verser dans une poche à douille et faire des jolies spirales sur une plaque recouverte de papier cuisson.
3- Enfourner pendant 3 heures. Surveiller régulièrement. À la fin de la cuisson, réserver dans le four avec la porte entrouverte.
4- Dans une casserole, faire fondre les CHAMALLOWS® à feu doux. Réserver.
5- Monter la crème liquide en chantilly bien ferme. Ajouter le reste du sucre glace, l'extrait de vanille et les CHAMALLOWS® fondus. Mélanger délicatement.
6- Concasser grossièrement les meringues. Couper les bananes en rondelles et les arroser de jus de citron pour éviter qu'elles noircissent.
7- Dans 4 verres, répartir la chantilly, les meringues et les rondelles de banane. Ajouter 1 boule de glace à la noix de coco dans chaque verre. Mélanger délicatement. Décorer avec la pulpe des fruits de la passion.

BÂTONNETS GLACÉS AU TAPIOCA

5 MIN DE PREPARATION – 30 MIN DE CUISSON – 3 H DE REPOS

POUR 4 PERSONNES

8 CHAMALLOWS®

15 cl de crème de coco

3 c. à s. de billes de tapioca

MATÉRIEL

4 moules à esquimaux

4 bâtonnets en bois

1- Dans une casserole, mettre les CHAMALLOWS®, la crème de coco, les billes de tapioca et 10 cl d'eau. Faire chauffer à feu doux pendant 30 minutes sans cesser de mélanger jusqu'à ce que les billes de tapioca soient cuites. Réserver.

2- Verser dans 4 moules à esquimaux, ajouter dans chaque 1 bâtonnet en bois et réserver 3 heures minimum au congélateur.

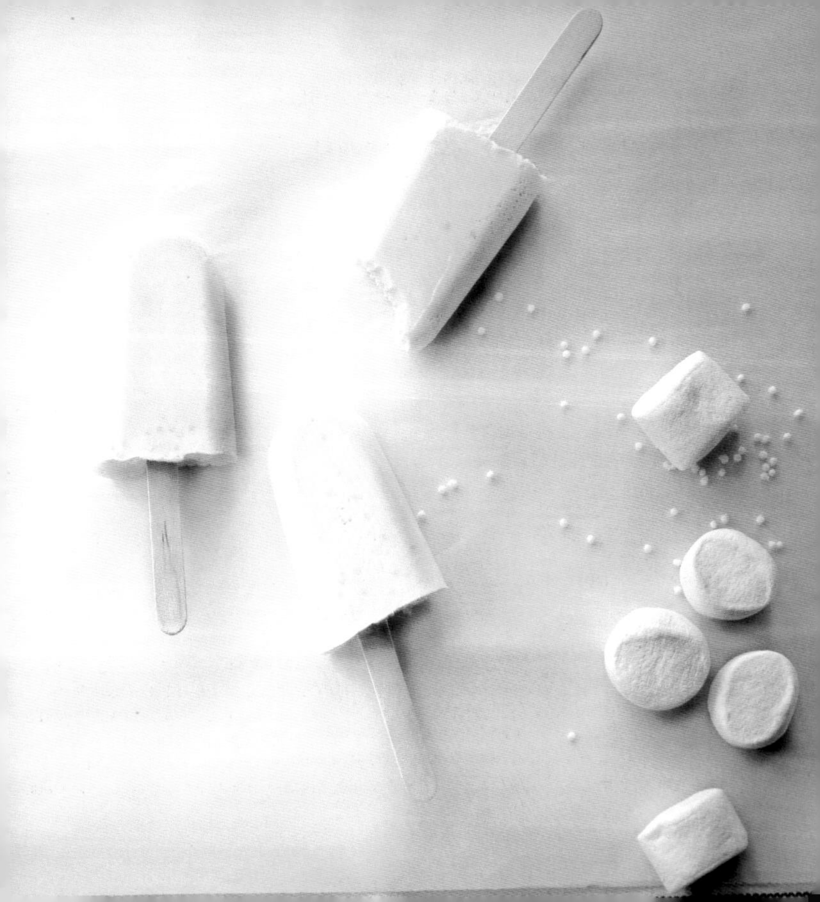

BROWNIE FRAMBOISES
& CRÈME DE CHAMALLOWS®

10 MIN DE PREPARATION – 30 MIN DE CUISSON

POUR 6 PERSONNES

6 CHAMALLOWS®

10 cl de crème liquide

75 g de fromage frais

4 œufs

100 g de farine

170 g de chocolat au lait

125 g de beurre

140 g de sucre en poudre

une pincée de piment d'Espelette

une poignée de framboises

MATÉRIEL

moule rectangulaire

1- Couper les CHAMALLOWS® en quatre et les faire fondre dans une casserole à feu doux avec la crème liquide. Réserver.
2- Une fois le mélange refroidi, incorporer le fromage frais puis 1 œuf et 1 cuillerée à soupe de farine. Bien mélanger pour qu'il n'y ait pas de grumeaux.
3- Faire fondre le chocolat et le beurre au bain-marie. Mélanger de temps en temps avec une cuillère en bois et réserver.
4- Battre le reste des œufs avec le sucre jusqu'à ce que le mélange blanchisse. Ajouter le chocolat fondu et le piment d'Espelette. Mélanger délicatement puis ajouter la farine tamisée. Préchauffer le four à 180 °C (th. 6).
5- Verser la préparation dans un moule beurré et recouvert de papier de cuisson. Ajouter les framboises et recouvrir de pâte avec la crème de CHAMALLOWS® en différents endroits. Enfourner et faire cuire 25 à 30 minutes. Vérifier la cuisson avec la lame d'un couteau. Laisser refroidir sur la plaque du four. Coupez le brownie en petits carrés et servez accompagné de framboises fraîches.

CUPCAKES CAFÉ
& CHAMALLOWS® FONDANTS

5 MIN DE PREPARATION – 20 MIN DE CUISSON

POUR 8 CUPCAKES

8 CHAMALLOWS®
1 c. à c. de café soluble
150 g de beurre
80 g de sucre en poudre
2 œufs
80 g de confiture de lait
170 g de farine
½ c. à c. de levure chimique
8 framboises

MATÉRIEL

moules à muffins

1- Diluer le café soluble dans 2 cuillerées à café d'eau.
2- Battre le beurre avec le sucre et faire blanchir le mélange. Ajouter un à un les œufs puis incorporer la confiture de lait et le café. Bien mélanger.
3- Verser la farine tamisée et la levure progressivement. Mélanger.
4- Préchauffer le four à 170 °C (th. 5-6). Verser la préparation dans des moules à muffins et enfournez. Faire cuire 15 minutes. Poser sur chaque muffin 1 CHAMALLOWS® et laisser cuire 5 minutes. Réserver. Au moment de servir, les décorer d'une framboise.

TARTELETTES CITRON, GRAINES DE PAVOT & MERINGUE

20 MIN DE PREPARATION – 30 MIN DE CUISSON

POUR 6 TARTELETTES

5 CHAMALLOWS®

2 c. à c. de lait

2 blancs d'œufs

une pincée de sel

30 g de sucre cristal

150 g de beurre mou

140 g de sucre en poudre

2 œufs

170 g de farine

20 g de graines de pavot

le zeste de ½ citron

½ c. à c. de levure chimique

MATÉRIEL

moules à tartelettes

1- Couper les CHAMALLOWS® en morceaux. Dans une casserole, les faire fondre avec le lait à feu doux. Bien mélanger. Réserver.

2- Battre 2 blancs d'œufs en neige avec une pincée de sel. Quand le mélange commence à prendre, ajouter le sucre cristal et continuer de battre.

3- Battre le beurre avec le sucre et faire blanchir le mélange. Ajouter un par un le reste des œufs puis les CHAMALLOWS® fondus. Mélanger.

4- Dans un bol, mélanger la farine, les graines de pavot, les zestes du demi-citron et la levure. Incorporer le mélange à la préparation précédente et mélanger délicatement.

5- Préchauffer le four à 180 °C (th. 6). Verser dans 6 moules à tartelettes beurrés aux trois-quarts et enfourner pour 20 à 25 minutes. Lorsque les tartelettes sont presque cuites, les décorer avec la meringue à l'aide d'une poche à douille. Enfournez et laisser cuire encore quelques minutes, le temps de colorer la meringue.

COOKIES EARL GREY

10 MIN DE PREPARATION – 15 MIN DE CUISSON

POUR 1 DIZAINE DE COOKIES

5 CHAMALLOWS®

140 g de farine

25 g de sucre en poudre

125 g de beurre

1 œuf

1 sachet de thé earl grey
le zeste de 1 citron

2 c. à s. de lait

MATÉRIEL

mixeur

1- Couper les CHAMALLOWS® en morceaux. Dans une casserole, les faire fondre avec le lait à feu doux. Bien mélanger. Réserver.
2- Dans un bol, battre le beurre avec le sucre puis ajouter l'œuf et les CHAMALLOWS® fondus.
3- Mettre dans le bol du robot, le thé avec la farine et le zeste du citron. Mixer finement. Incorporer à la préparation aux CHAMALLOWS®.
4- Préchauffer le four à 170 °C (th. 5-6).
5- À l'aide d'un rouleau à pâtisserie, étaler la pâte sur une épaisseur de 0,5 à 1 cm. Avec un emporte-pièce, découper les cookies aux formes souhaitées. Les déposer sur une plaque recouverte de papier de cuisson. Enfourner et cuire 12 minutes. Les conserver dans une boite hermétique pendant 2 semaines.

PANCAKES AUX POMMES CARAMÉLISÉES

25 MIN DE PREPARATION – 20 MIN DE CUISSON

POUR 8 PANCAKES

5 CHAMALLOWS®

55 g de beurre

3 œufs

une pincée de sel

20 g de sucre en poudre

le zeste de ½ orange

le zeste de ½ citron

5 cl de crème liquide

6 cl de lait

125 g de farine

1. c. à c. de levure chimique

1 pomme granny smith

1- Couper les CHAMALLOWS® en morceaux. Dans une casserole, les faire fondre avec 2 cuillerées à soupe d'eau à feu doux. Bien mélanger. Réserver.

2- Dans une autre casserole, faire fondre le beurre à feu doux. Réserver.

3- Séparer les blancs des jaunes d'œufs. Monter les blancs en neige avec une pincée de sel.

4- Dans un grand bol, mélanger les jaunes avec le sucre et les zestes de l'orange et du citron. Ajouter les CHAMALLOWS® fondus, la crème liquide, le lait puis la farine et la levure. Bien mélanger. Terminer en incorporant le beurre fondu et les blancs en neige. Réserver au frais.

5- Éplucher la pomme et l'épépiner. La couper en lamelles de 0,5 à 1 cm d'épaisseur. Les mettre dans une poêle à revêtement antiadhésif avec 1 noix de beurre. Saupoudrer 1 cuillerée à soupe de sucre et laisser confire à feu doux 6 à 7 minutes. Retirer les lamelles de pommes et réserver.

6- Dans la poêle, déposer quelques lamelles de pommes et verser dessus 1 louche de pâte. Cuire 3 minutes de chaque côté. Servir accompagné de sirop d'érable et de mûres fraîches.

FUDGE AU CHOCOLAT BLANC

15 MIN DE PREPARATION – 10 MIN DE CUISSON – 3 H DE REPOS

POUR 6 PERSONNES

18 CHAMALLOWS®
120 ml de crème liquide
120 g de sucre en poudre
une pincée de sel
10 g de beurre
1 c. à c. d'extrait de vanille
160 g de chocolat blanc
80 g de cacahuètes
huile

MATÉRIEL

plat rectangulaire

1- Dans une casserole, verser la crème liquide, les CHAMALLOWS®, le sucre et une pincée de sel. Porter à ébullition en remuant sans cesse avec une cuillère en bois. Porter le mélange à 114 °C en vous aidant d'un thermomètre à sucre. Ajouter le beurre et l'extrait de vanille. Bien mélanger.
2- Hacher le chocolat blanc et l'ajouter avec les cacahuètes à la préparation. Bien mélanger.
3- Recouvrir un plat rectangulaire avec du papier cuisson huilé des deux côtés. Verser la préparation. Décorer avec des petits éclats de chocolat blanc. Laisser durcir 3 heures à température ambiante puis découper le fudge en petits carrés.

PETITE PIÈCE MONTÉE

15 MIN DE PREPARATION – 5 MIN DE CUISSON

POUR 4 PERSONNES

20 CHAMALLOWS®

125 g de chocolat blanc

3 gouttes de colorant alimentaire bleu

billes de sucre coloré

1- Hacher le chocolat blanc.
2- Faire fondre le chocolat au bain-marie à feu très doux. Mélanger à l'aide d'une cuillère en bois. Réserver.
3- Ajouter le colorant alimentaire, mélanger délicatement pour que la couleur soit homogène.
4- À l'aide d'une petite cuillère à café, verser le chocolat sur le dessus des CHAMALLOWS®. Laisser sécher.
5- Construire la pièce montée en superposant les CHAMALLOWS® et décorer avec des petites billes de sucre coloré.

WEDDING CAKE

20 MIN DE PREPARATION – 25 MIN DE CUISSON

POUR 8 PERSONNES

10 CHAMALLOWS®

170 g de farine

½ c. à c. de levure chimique

une pincée de sel

35 g de noix de coco râpée

2 bananes

½ yaourt nature

25 ml de lait

½ c. à c. d'extrait de vanille

80 g de beurre

90 g de sucre en poudre

1 œuf

pâte à sucre blanche

MATÉRIEL

3 moules ronds de tailles différentes

1- Dans un bol, mélanger la farine et la levure chimique avec le sel et la noix de coco râpée.
2- Hacher les bananes. Les mélanger avec le yaourt, le lait et l'extrait de vanille.
3- Dans un bol, battre le beurre et le sucre jusqu'à ce que le mélange blanchisse. Ajouter l'œuf et continuer de battre. Ajouter les bananes hachées puis la farine.
4- Préchauffer le four à 180 °C (th. 6). Beurrer 3 moules ronds de tailles différentes. Y répartir la préparation. Enfourner pour 25 minutes. Laisser refroidir sur une plaque.
5- Retirer la croûte de chaque gâteau.
6- À l'aide d'un rouleau à pâtisserie, étaler la pâte à sucre blanche sur une épaisseur de 0,5 à 1 cm. Envelopper chaque gâteau avec cette pâte .
7- Découper les CHAMALLOWS® en tout petits morceaux.
8- Assembler le *wedding cake* et décorer avec les morceaux de CHAMALLOWS®.

PÂTE À TARTINER AUX CHAMALLOWS®

20 MIN DE PREPARATION – 10 MIN DE CUISSON

POUR 1 POT

20 CHAMALLOWS®
3 blancs d'œufs
2 dl de sirop de maïs
120 g de sucre en poudre
colorant rose (facultatif)

MATÉRIEL

mixeur
pot à confiture

1- Dans le bol du robot, battre les blancs d'œufs avec le sirop de maïs à l'aide d'un mixeur. Le mélange doit être onctueux et brillant.
2- Coupez les CHAMALLOWS® en petits morceaux.
3- Dans une casserole, porter à ébullition les CHAMALLOWS® avec le sucre et 10 cl d'eau. Porter le mélange à 114 °C à l'aide d'un thermomètre à sucre puis réserver hors du feu.
4- Verser le caramel en filet dans le bol du robot avec les blancs d'œufs. Continuer de battre jusqu'à ce que la pâte à tartiner refroidisse. Ajouter 3 gouttes de colorant rose et bien mélanger. Verser dans un pot à confiture. Conserver au réfrigérateur.

POMMES D'AMOUR

10 MIN DE PREPARATION – 10 MIN DE CUISSON

POUR 4 PERSONNES

7 CHAMALLOWS®

70 g de beurre doux

100 g de sucre en poudre

10 cl de crème liquide

60 g de sirop de maïs (ou du miel d'acacia)

½ c. à c. d'extrait de vanille

une pincée de sel

4 petites pommes

MATÉRIEL

4 pics en bois

1- Couper les CHAMALLOWS® en petits morceaux.
2- Dans une casserole, porter à ébullition les CHAMALLOWS®, le beurre, le sucre, la crème liquide, le sirop de maïs, l'extrait de vanille et le sel. Porter le mélange à 114 °C à l'aide d'un thermomètre à sucre puis réserver hors du feu.
3- Piquer chaque pomme d'un pic en bois.
4- Tremper les pommes entièrement dans le caramel. Les déposer sur du papier cuisson. Retirer l'excédent du caramel à l'aide d'un couteau. Laisser refroidir avant de servir.

BONBONS CARAMÉLISÉS

10 MIN DE PREPARATION – 10 MIN DE CUISSON

POUR 4 PERSONNES

2 CHAMALLOWS®

90 g de sucre en poudre

6 cl de jus de mangue

1 c. à s. de jus de citron

⅛ c. à c. d'extrait de café

une pincée de bicarbonate de soude

huile

1- Huiler une feuille de papier cuisson.

2- Dans une casserole, porter à ébullition le sucre, 3 cl d'eau, le jus de mangue, le jus de citron, l'extrait de café et le bicarbonate de soude. Bien mélanger. Porter le mélange à 145 °C en vous aidant d'un thermomètre à sucre puis réserver hors du feu.

3- Verser le mélange sur la feuille de papier cuisson. Ajouter les CHAMALLOWS® et à l'aide d'une baguette en bois mélanger grossièrement. Laisser durcir à température ambiante.

4- Casser la plaque de bonbons en petits morceaux. Conserver dans une boîte hermétique avec du papier cuisson entre chaque morceau.

POP-CORN SURPRISE

20 MIN DE PREPARATION – 15 MIN DE CUISSON

POUR 4 PERSONNES

5 CHAMALLOWS®

150 g de chocolat noir

huile de tournesol

150 g de maïs à pop-corn

30 g de cacahuètes salées

30 g de noisettes grillées

1- Hacher le chocolat noir en morceaux. Le faire fondre au bain-marie à feu doux. Ajouter 4 cuillerées à soupe d'huile de tournesol en mélangeant délicatement avec une cuillère en bois.

2- Couper le CHAMALLOWS® en quatre.

3- Dans une casserole, mettre le maïs à pop-corn avec 3 cuillerées à soupe d'huile. Couvrir et faire chauffer pendant quelques minutes jusqu'à ce que tous les grains aient éclatés. Verser le pop corn dans un grand bol avec le chocolat fondu, les cacahuètes, les noisettes et les morceaux de CHAMALLOWS®. Mélanger délicatement.

NOUGAT CHINOIS

15 MIN DE PREPARATION – 10 MIN DE CUISSON – 10 MIN DE REPOS

POUR 4 PERSONNES

8 CHAMALLOWS®

40 g de sucre cristal

60 g de miel d'acacia

100 g de graines de sésame blanc

30 g de cacahuètes légèrement grillées

10 g de graines de courge

huile

1- Huiler la surface d'une feuille de papier de cuisson ainsi qu'un rouleau à pâtisserie.

2- Couper les CHAMALLOWS® en petits morceaux.

3- Dans une casserole, faire chauffer à feu doux le sucre, le miel et les CHAMALLOWS® jusqu'à ce que le mélange soit homogène. Ajouter ensuite les graines de sésame, les cacahuètes et les graines de courge tout en mélangeant. Laisser dorer quelques minutes sans cesser de remuer puis verser la préparation sur le papier de cuisson.

4- À l'aide du rouleau à pâtisserie, former un rectangle d'une épaisseur de 0,5 à 1 cm. Découper des barres de 3 x 8 cm environ. Lisser les bords avec la lame d'un couteau. Laisser refroidir. Conserver dans une boîte hermétique 1 semaine.

SUCETTES À LA FRAMBOISE

5 MIN DE PREPARATION – 10 MIN DE CUISSON – 15 MIN DE REPOS

POUR 6 SUCETTES

6 CHAMALLOWS®

1 barquette de framboises

90 g de sucre en poudre

huile

MATÉRIEL

bâtonnets à sucettes

1- Huiler la surface d'une feuille de papier de cuisson.
2- Dans une casserole, faire chauffer les framboises et 3 cuillerées à soupe d'eau à feu très doux sans mélanger. Quand les framboises sont cuites, filtrer et récupérer le jus.
3- Dans une autre casserole, faire chauffer le sucre avec les CHAMALLOWS® et le jus des framboises à feu doux. Bien mélanger. Porter le mélange à 145 °C à l'aide d'un thermomètre à sucre puis réserver hors du feu.
4- Déposer 3 cuillerées à soupe du mélange sur la feuille de papier cuisson en les espaçant bien. Ajouter les bâtonnets à sucette puis recouvrir avec le reste de la préparation. Laisser refroidir complètement. Conserver dans une boîte hermétique.

TABLETTE CHOCOLAT BLANC
& CHAMALLOWS®

10 MIN DE PREPARATION – 5 MIN DE CUISSON – 4 H DE REPOS

POUR 1 TABLETTE

2 CHAMALLOWS®
150 g de chocolat blanc
Moules de chocolat

MATÉRIEL

moules à chocolat

1- Couper les CHAMALLOWS® en petits morceaux.
2- Hacher le chocolat blanc.
3- Faire fondre au bain-marie le chocolat. Bien mélanger et réserver.
4- Mettre les morceaux de CHAMALLOWS® dans le moule à chocolat puis y verser le chocolat blanc fondu. Laisser durcir quelques heures à température ambiante avant de démouler. Conserver 2 semaines dans une boîte hermétique.

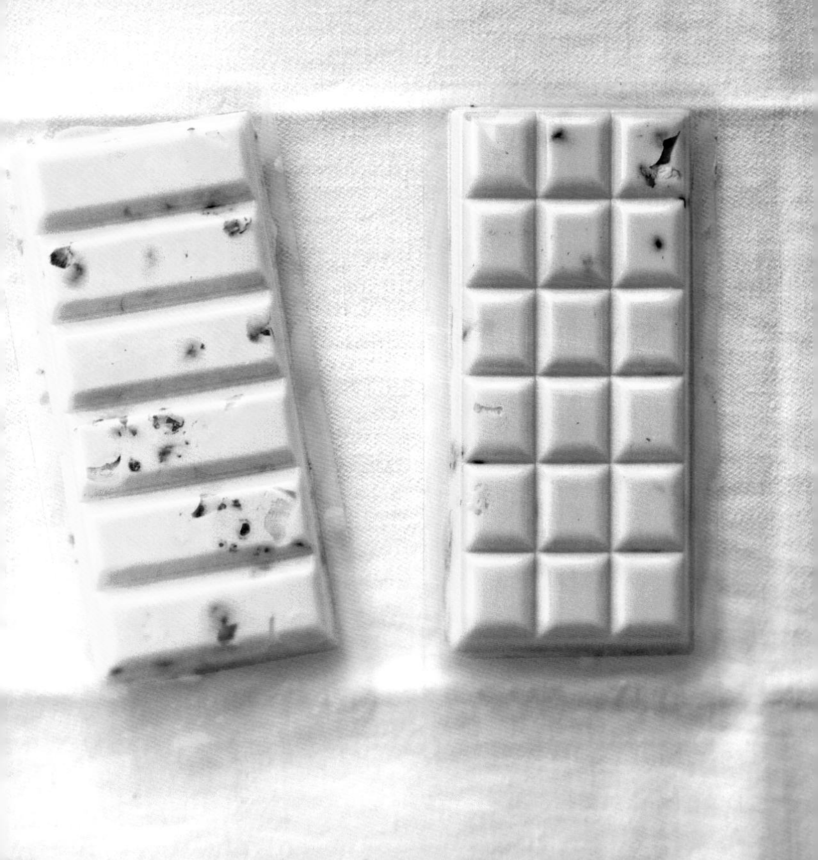

FONDUE DE CHAMALLOWS®

5 MIN DE PREPARATION – 5 À 10 MIN DE CUISSON

POUR 4 PERSONNES

10 CHAMALLOWS®

50 g de chocolat noir

½ barquette
de framboises

20 g de sucre en poudre

1 petit bol de noix
de coco râpée

1 petit bol de noisettes
grillées concassées

1 petit bol de perle
de chocolat blanc

MATÉRIEL

10 tiges en bois

1- Piquer les tiges en bois dans les CHAMALLOWS®.
2- Hacher grossièrement le chocolat noir et le faire fondre au bain-marie. Bien mélanger puis verser dans un bol.
3- Dans une casserole, faire chauffer à feu moyen les framboises, 3 cl d'eau et le sucre pendant 5 à 10 minutes. Bien mélanger puis verser dans un bol.
4- Mettre les bols sur un plateau avec les brochettes de CHAMALLOWS® et servir.

MILK-SHAKE À LA FRAISE

5 MIN DE PREPARATION – 5 MIN DE CUISSON

POUR 4 VERRES

10 CHAMALLOWS®

40 cl lait + 2 c. à s.

1 douzaine de fraises

MATÉRIEL

mixeur

1- Dans une casserole, faire fondre les CHAMALLOWS® avec 2 cuillerées à soupe de lait à feu doux tout en mélangeant. Réserver.

2- Équeuter et couper les fraises en quatre. Les mettre dans le bol du mixeur, ajouter le lait et les CHAMALLOWS® fondus puis mixer finement. Verser dans 4 verres.

SMOOTHIE FRUITS DE LA PASSION

5 MIN DE PREPARATION – 5 MIN DE CUISSON

POUR 4 GRANDS VERRES

8 CHAMALLOWS®

14 fruits de la passion

2 verres de jus de poire

10 c. à s. de glace à la vanille

MATÉRIEL

mixeur

1- Dans une casserole, faire fondre les CHAMALLOWS® avec 3 cuillerées à soupe d'eau à feu doux tout en mélangeant. Réserver.

2- Filtrer la pulpe des fruits de la passion pour récupérer le jus.

3- Mettre dans le bol du mixeur le jus des fruits avec la glace à la vanille et les CHAMALLOWS® fondus puis mixer finement. Verser dans 4 verres et décorer avec les grains des fruits de la passion.

LASSI INDIEN À LA MANGUE

5 MIN DE PREPARATION – 5 MIN DE CUISSON

POUR 4 GRANDS VERRES

10 CHAMALLOWS®

2 mangues bien mûres

4 yaourts natures

MATÉRIEL

mixeur

1- Dans une casserole, faire fondre les CHAMALLOWS® avec 3 cuillerées à soupe d'eau à feu doux tout en mélangeant. Réserver.
2- Éplucher et récupérer la chair des mangues.
3- Mettre tous les ingrédients dans le bol du mixeur puis ajouter 30 cl d'eau. Mixer finement. Verser dans 4 verres et ajouter quelques glaçons.

SIROP DE RHUBARBE MAISON

5 MIN DE PREPARATION – 20 MIN DE CUISSON

POUR ½ L

10 CHAMALLOWS®
1 kg de rhubarbe
le jus de 1 citron
500 g de sucre de canne

1- Dans une casserole, faire fondre les CHAMALLOWS® avec 3 cuillerées à soupe d'eau à feu doux tout en mélangeant. Réserver.
2- Couper la rhubarbe en petits morceaux.
3- Dans une autre casserole, faire chauffer la rhubarbe, les CHAMALLOWS® fondus et 75 cl d'eau à feu moyen pendant 10 à 15 minutes. Filtrer pour récupérer le jus.
4- Faire chauffer le jus filtré avec le sucre et le jus de citron. Porter à ébullition et retirer au fur et à mesure l'écume blanche qui se forme à la surface. Lorsque le sirop est bien clair, mettre hors du feu et réserver.
5- Verser le sirop dans une bouteille et conserver au réfrigérateur.

THÉ TCHAÏ AUX CHAMALLOWS®

10 MIN DE PREPARATION – 15 MIN DE CUISSON

POUR 4 VERRES

4 CHAMALLOWS®

4 clous de girofle

4 gousses de cardamome verte

1 bâton de cannelle

2 c. à .c de thé noir sans arômes

16 cl de lait

chantilly

poudre de cacao

1- Dans une casserole, mettre 40 cl d'eau et les épices. Écraser légèrement les graines de cardamome pour que l'arôme puisse sortir. Porter à ébullition quelques minutes puis ajouter le thé noir et laisser chauffer à feu doux.
2- Pendant ce temps, chauffer à feu doux le lait et les CHAMALLOWS®. Bien mélanger.
3- Filtrer la préparation aux épices et la mélanger avec le lait. Verser dans 4 verres. Terminer par 1 à 2 cuillerées à café de chantilly et saupoudrer de cacao.

INFUSION MAISON AUX CHAMALLOWS®

10 MIN DE PREPARATION – 3 À 5 MIN DE CUISSON

POUR 4 SACHETS

4 CHAMALLOWS®

4 c. à s. de thé vert en vrac

4 feuilles de sauge séchées

MATÉRIEL

4 morceaux de gaze

fil

1- Couper les CHAMALLOWS® en tout petits morceaux.
2- Découper la gaze en 4 carrés et y répartir tous les ingrédients au milieu. Fermer à l'aide du fil chaque sachet.
3- Laisser infuser 3 à 5 minutes dans de l'eau bouillante.